아낌없이 주는 나무

이재명은 연세대학교 국어국문학과를 졸업했으며 동대학원에서 문학박사 학위를 받았다.
현재 명지대학교 문예창작학과 교수로 있으며, 평민사의 공연예술신서를 기획하고 있다.
옮긴 책으로는 《어디로 갔을까, 나의 한쪽은》, 《떨어진 한쪽, 큰 동그라미를 만나》, 《연극 이해의 길》 들이 있다.

아낌없이 주는 나무

지은이 | 쉘 실버스타인 옮긴이 | 이재명 초판 제1쇄 발행일 | 2000년 11월 10일 초판 제19쇄 발행일 | 2004년 11월 25일
발행인 | 전재국 발행처 | (주)시공사 주소 | 137-070 서울시 서초구 서초동 1628-1
전화 | 영업 598-5601 편집 588-3121 | 인터넷 홈페이지 www.sigongjunior.com ISBN 89-527-0904-7 43840

아낌없이 주는 나무

셸 실버스타인 글 · 그림 | 이재명 옮김

시공주니어

니키에게

옛날에 나무가 한 그루 있었습니다…….

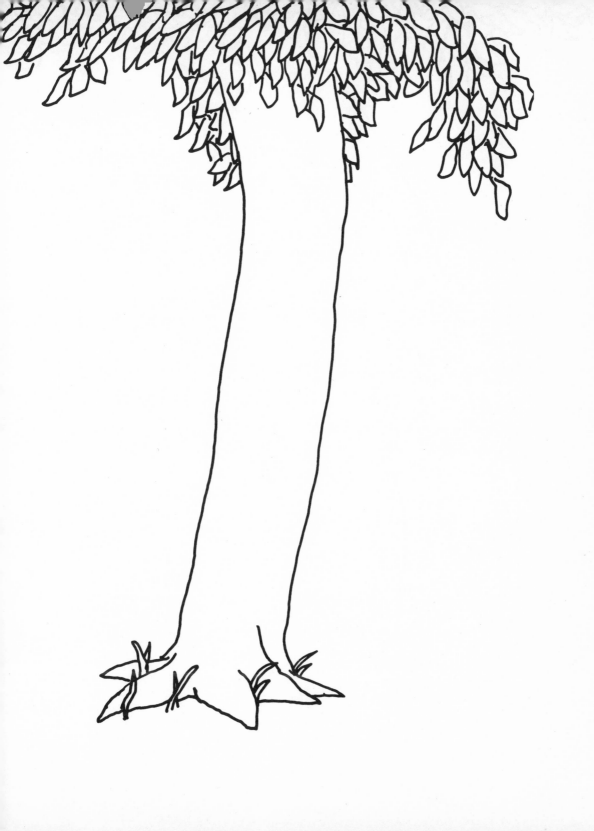

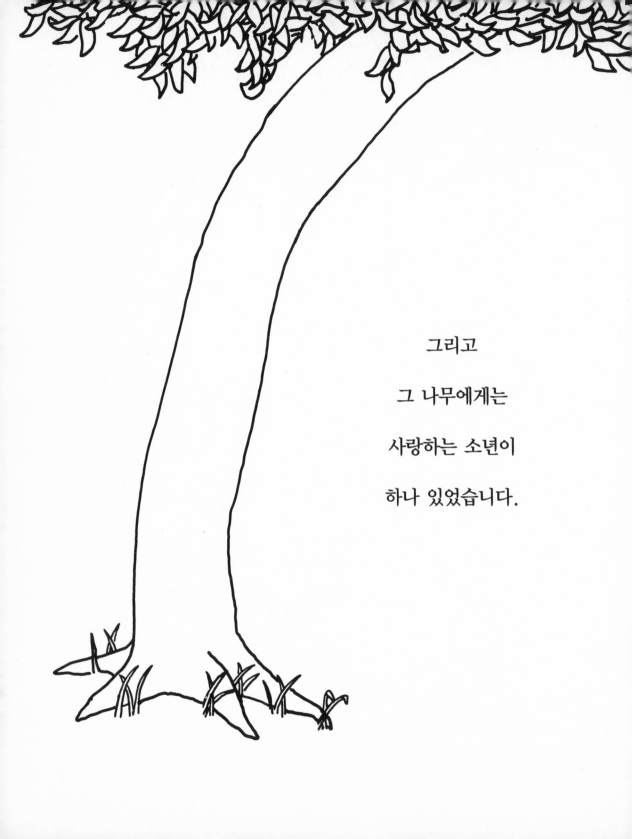

그리고

그 나무에게는

사랑하는 소년이

하나 있었습니다.

날마다 소년은
나무에게로 와서

떨어지는

나뭇잎을

　　한 잎

　두 잎

주워

　모았습니다.

그러고는 나뭇잎으로
왕관을 만들어 쓰고
숲 속의 왕 노릇을 했습니다.

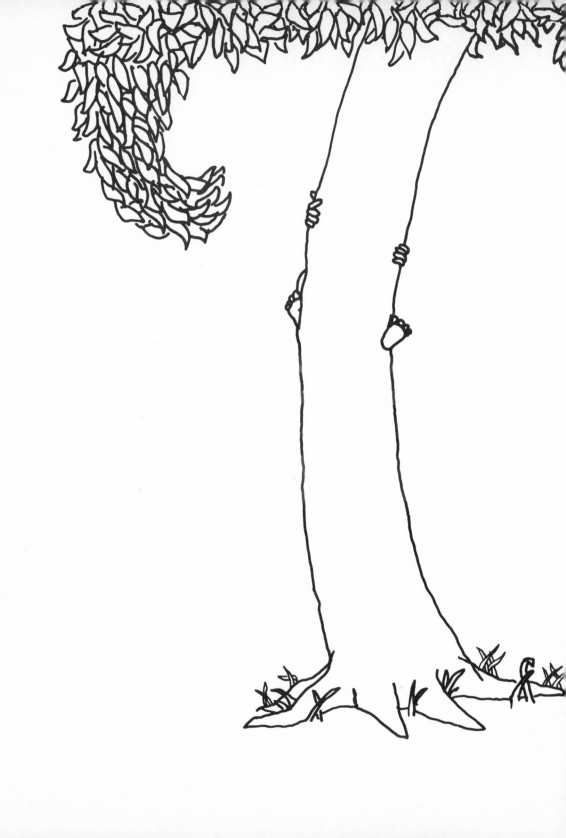

소년은 나무 줄기를 타고 올라가서는

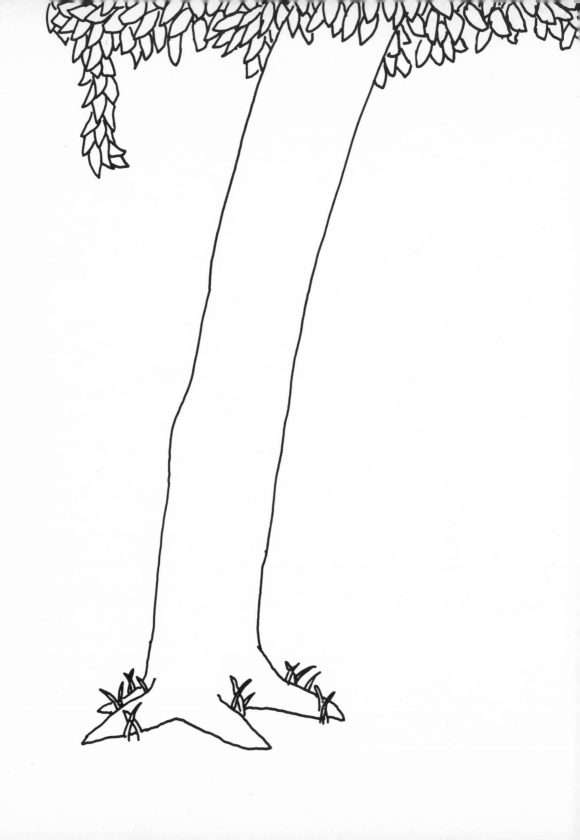

나뭇가지에 매달려 그네도 뛰고

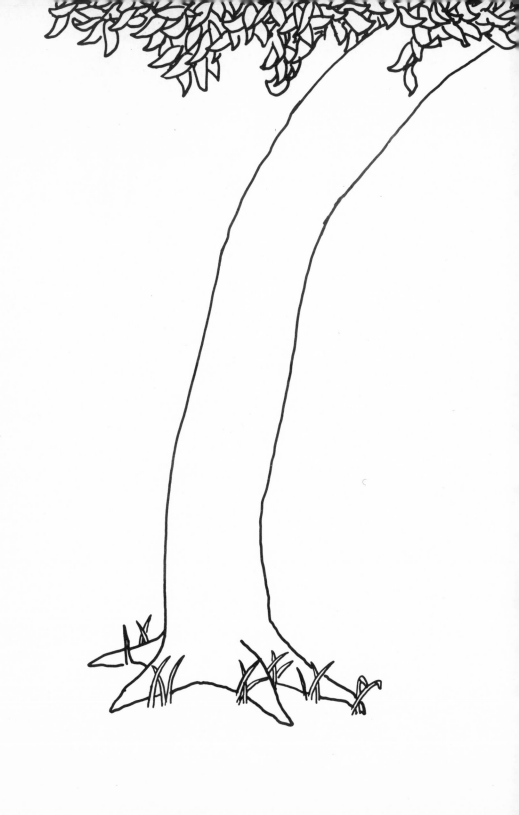

사과도 따 먹곤 했습니다.

나무와 소년은
때로는
숨바꼭질도 했습니다.

그러다가 피곤해지면
소년은
나무 그늘에서
단잠을 자기도 했지요.

소년은 나무를 무척 사랑했고……

나무는 행복했습니다.

하지만 시간은 흘러갔습니다.

그리고 소년도 점점 나이가 들어갔습니다.

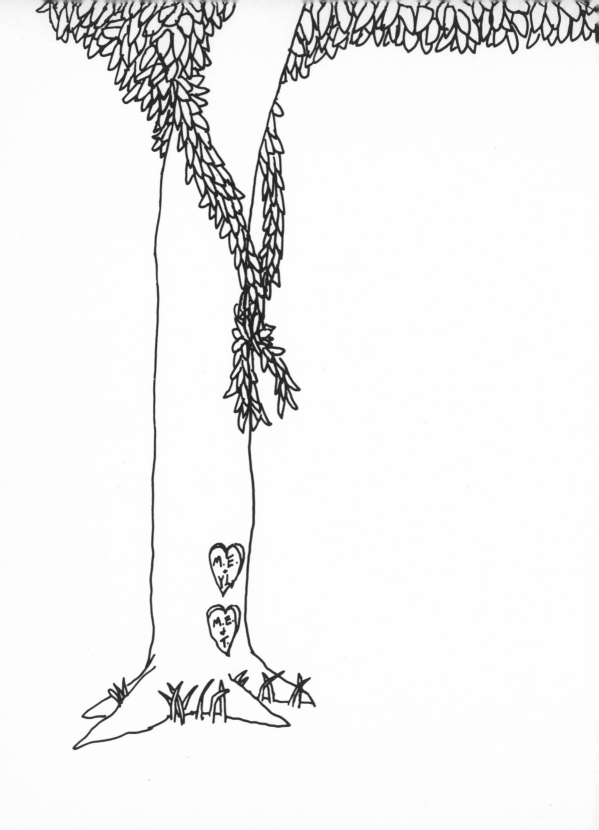

나무는 홀로 있을 때가 많아졌습니다.

그러던 어느 날, 소년이 나무를 찾아갔을 때
나무가 말했습니다.
"애야, 내 줄기를 타고 올라오렴. 가지에 매달려
그네도 뛰고, 사과도 따 먹고, 그늘에서 놀면서
즐겁게 지내자."
"난 이제 나무에 올라가 놀기에는 너무 커 버렸는걸.
난 물건을 사고 싶고, 신나게 놀고 싶단 말야.
그래서 돈이 필요해. 내게 돈을 좀 줄 수 없겠어?"
소년이 말했습니다.
"미안하지만, 내겐 돈이 없는데."
나무가 말했습니다.
"내겐 나뭇잎과 사과밖에 없어.
애야, 내 사과를 따다가 도회지에서 팔지 그러니?
그러면 너는 돈이 생기고 행복해질 거야."

그러자 소년은
나무 위로 올라가
사과를 따서는
가지고 가 버렸습니다.

그래서 나무는 행복했습니다.

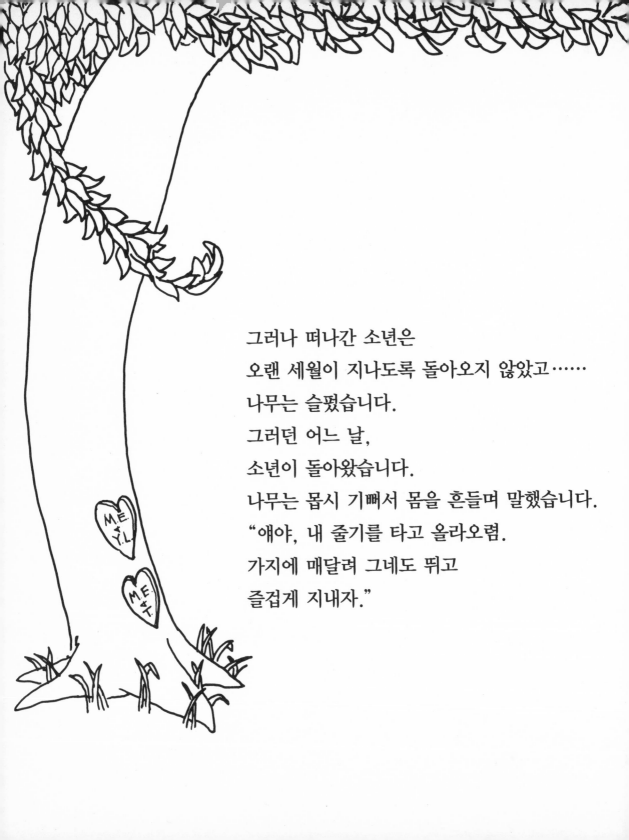

그러나 떠나간 소년은
오랜 세월이 지나도록 돌아오지 않았고······
나무는 슬펐습니다.
그러던 어느 날,
소년이 돌아왔습니다.
나무는 몹시 기뻐서 몸을 흔들며 말했습니다.
"얘야, 내 줄기를 타고 올라오렴.
가지에 매달려 그네도 뛰고
즐겁게 지내자."

"난 나무에 올라갈 만큼 한가롭지 않단 말야."
소년이 말했습니다.
"내겐 따뜻하게 지낼 집이 필요해.
아내도 있어야겠고, 자식도 있어야겠고.
그래서 집이 필요하단 말야.
나에게 집 한 채 마련해 줄 수 없겠어?"
"나에게는 집이 없단다."
나무가 대답했습니다.
"이 숲이 나의 집이지.
하지만 내 가지들을 베어다가
집을 짓지 그래.
그러면 행복해질 수 있을 거야."

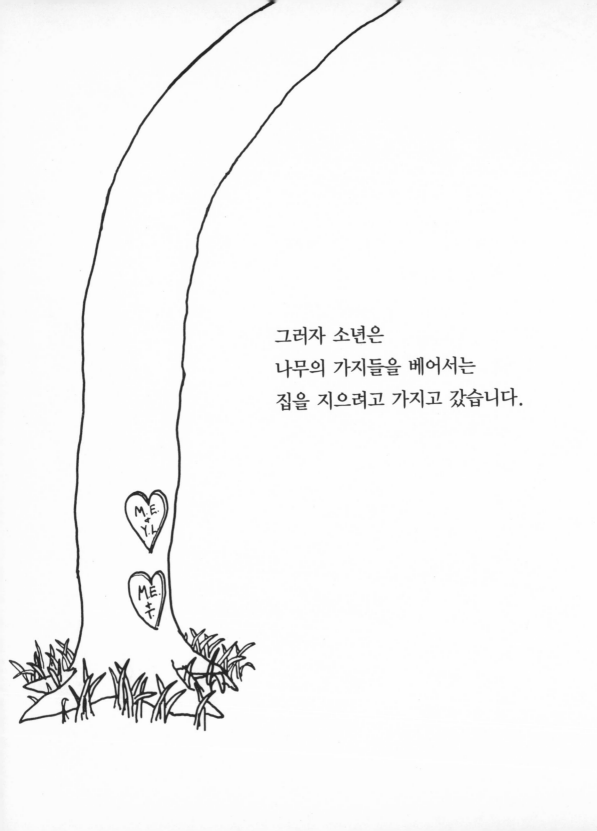

그러자 소년은
나무의 가지들을 베어서는
집을 지으려고 가지고 갔습니다.

그래서 나무는 행복했습니다.

그러나 떠나간 소년은
오랜 세월이 지나도록 돌아오지 않았습니다.
그러다가 소년이 돌아오자,
나무는 너무 기뻐서 거의 말을 할 수가 없었습니다.
"이리 온, 애야."
나무는 속삭였습니다.
"와서 나랑 놀자."
"난 너무 나이가 들고 비참해서 놀 수가 없어."
소년이 말했습니다.
"배가 한 척 있었으면 좋겠어.
멀리 떠나고 싶거든.
내게 배 한 척 마련해 줄 수 없겠어?"

"내 줄기를 베어다가 배를 만들렴."
나무가 말했습니다.
"그러면 너는 멀리 떠나갈 수 있고……
행복해질 수 있을 거야."

그러자 소년은 나무의 줄기를 베어 내서

배를 만들어 타고 멀리 떠나 버렸습니다.

그래서 나무는 행복했지만……

정말 그런 것은 아니었습니다.

오랜 세월이 지난 뒤에
소년이 다시 돌아왔습니다.
"애야, 미안하다. 이제는
너에게 줄 것이 아무것도 없구나.
사과도 없고."

"난 이가 나빠서 사과를 먹을 수가 없어."
소년이 말했습니다.
"내게는 이제 가지도 없으니
네가 그네를 뛸 수도 없고."
"나뭇가지에 매달려 그네를 뛰기에는
난 이제 너무 늙었어."
소년이 말했습니다.
"내게는 줄기마저 없으니
네가 타고 오를 수도 없고."
"타고 오를 기운도 없어."
소년이 말했습니다.
"미안해."
나무는 한숨을 지었습니다.
"무언가 너에게 주고 싶은데……
내겐 남은 것이 아무것도 없단다.
나는 그저 늙어 버린 나무 밑동일 뿐이야.
미안해…….

"이젠 나도 필요한 게 별로 없어.
그저 편안히 앉아서 쉴 곳이나 있었으면 좋겠어.
난 몹시 피곤하거든."
소년이 말했습니다.
"아, 그래."
나무는 안간힘을 다해
몸뚱이를 펴면서 말했습니다.
"자, 앉아서 쉬기에는
늙은 나무 밑동이 그만이야.
애야, 이리로 와서 앉으렴.
앉아서 쉬도록 해."

소년은 그렇게 했습니다.

그래서 나무는 행복했습니다.